奥莉薇

拯 救 马 戏 团

文/图：〔美〕伊恩·福尔克纳　　翻 译：范晓星

河北出版传媒集团公司
河北教育出版社

上学前，奥莉薇很高兴为小弟威廉和大弟小恩做煎饼。

她帮了妈妈好大一个忙。

美美地吃过早餐，就该穿衣服了。

奥莉薇必须穿这套没意思的校服。

不过，点缀一下下当然可以喽。

嘀，嘀——奥莉薇来了！

今天，轮到奥莉薇给大家报告假期见闻。面对观众，奥莉薇从来都不怯场。

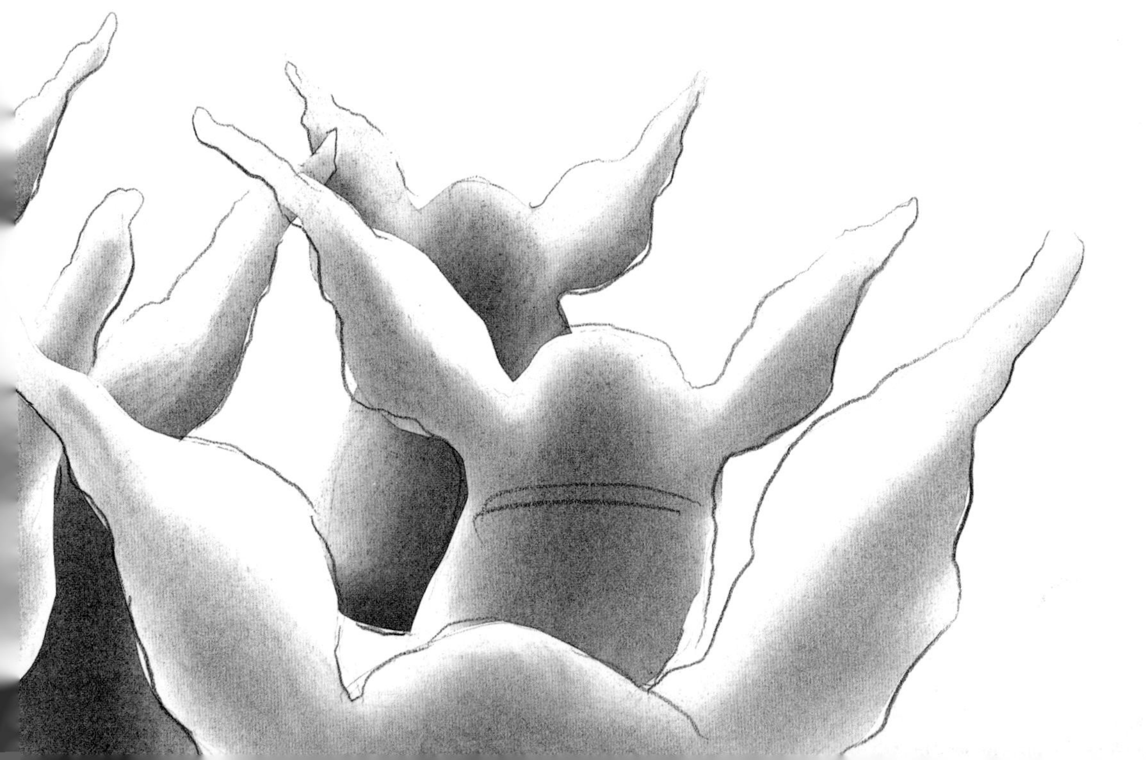

她开始讲起来："那一天，妈妈带我跟小恩去看马戏。威廉不能去，因为他还小，要睡午觉。"

“可是，等我们到那儿一看，马戏团的演员全请了病假。他们都得中耳炎了。”

“幸好，我知道马戏团里的每一个节目。”

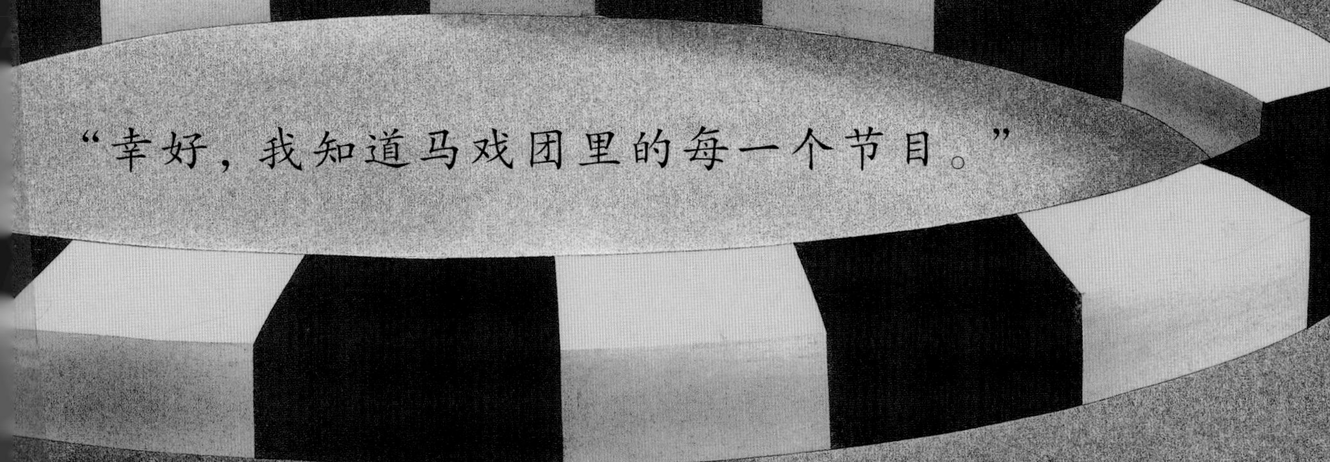

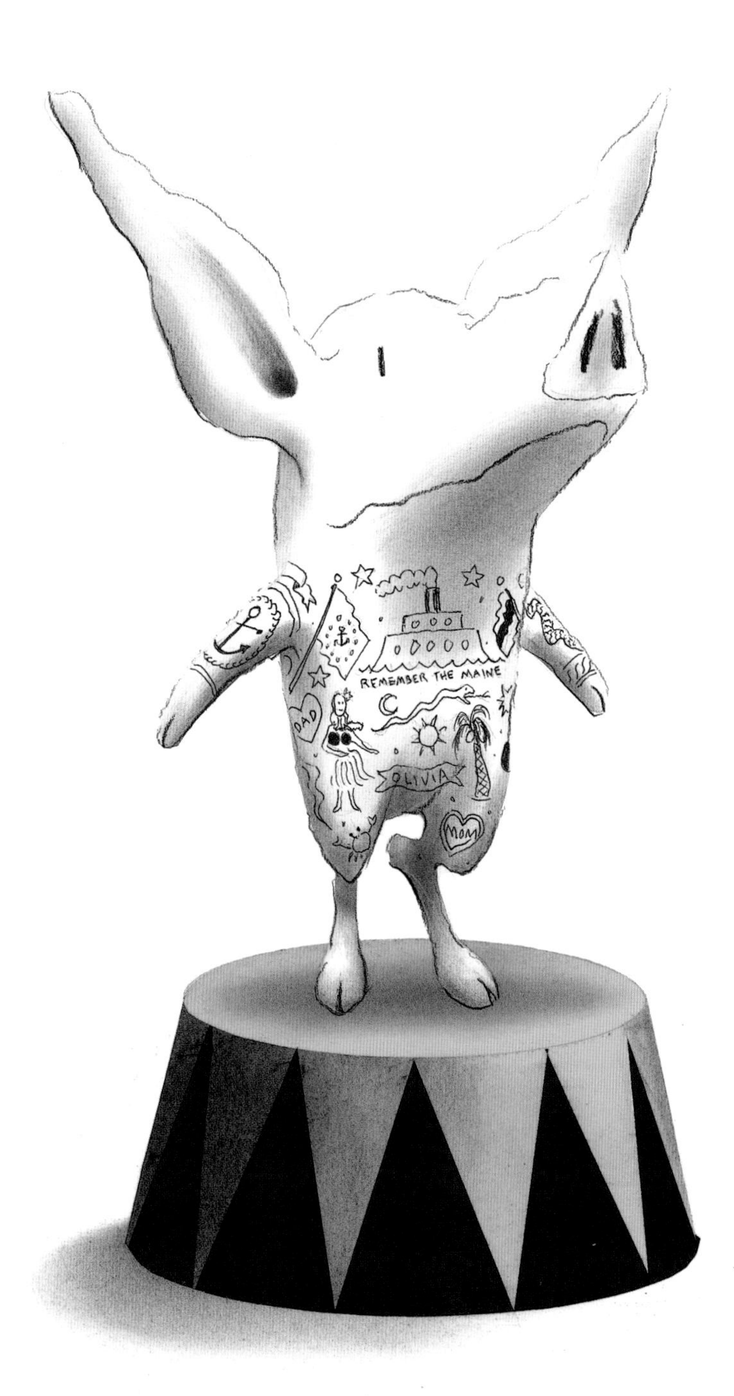

“文身女郎奥莉薇先登场。身上的图案是我用笔画上去的哦。”

“接下来，瞧驯狮大王奥莉薇的。”

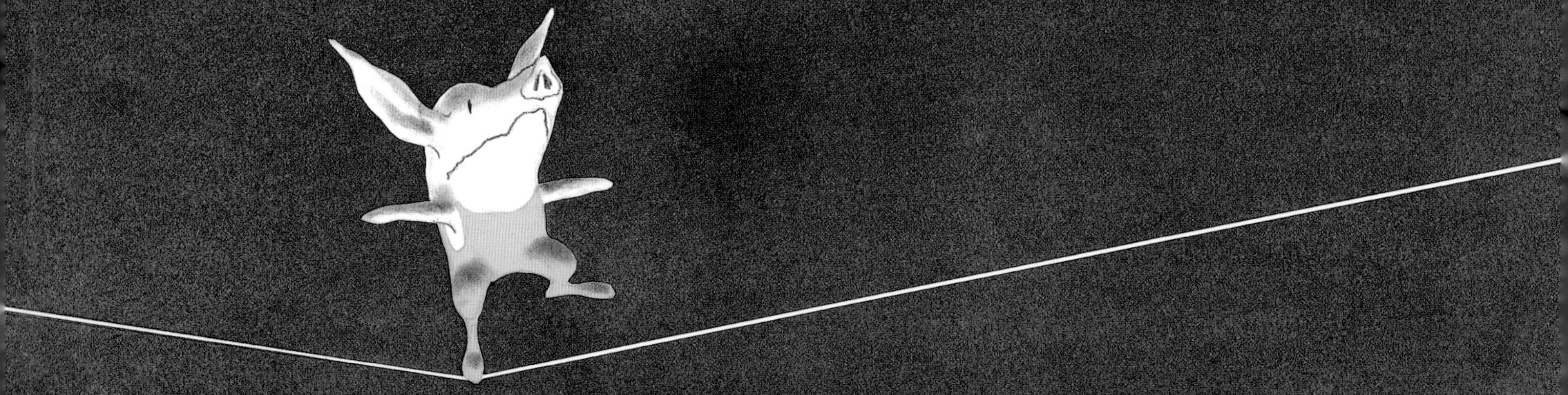

“勇士奥莉薇挑战高空走钢丝。”

“还踩高跷，
还耍球，
还扮小丑，
还骑独轮车。”

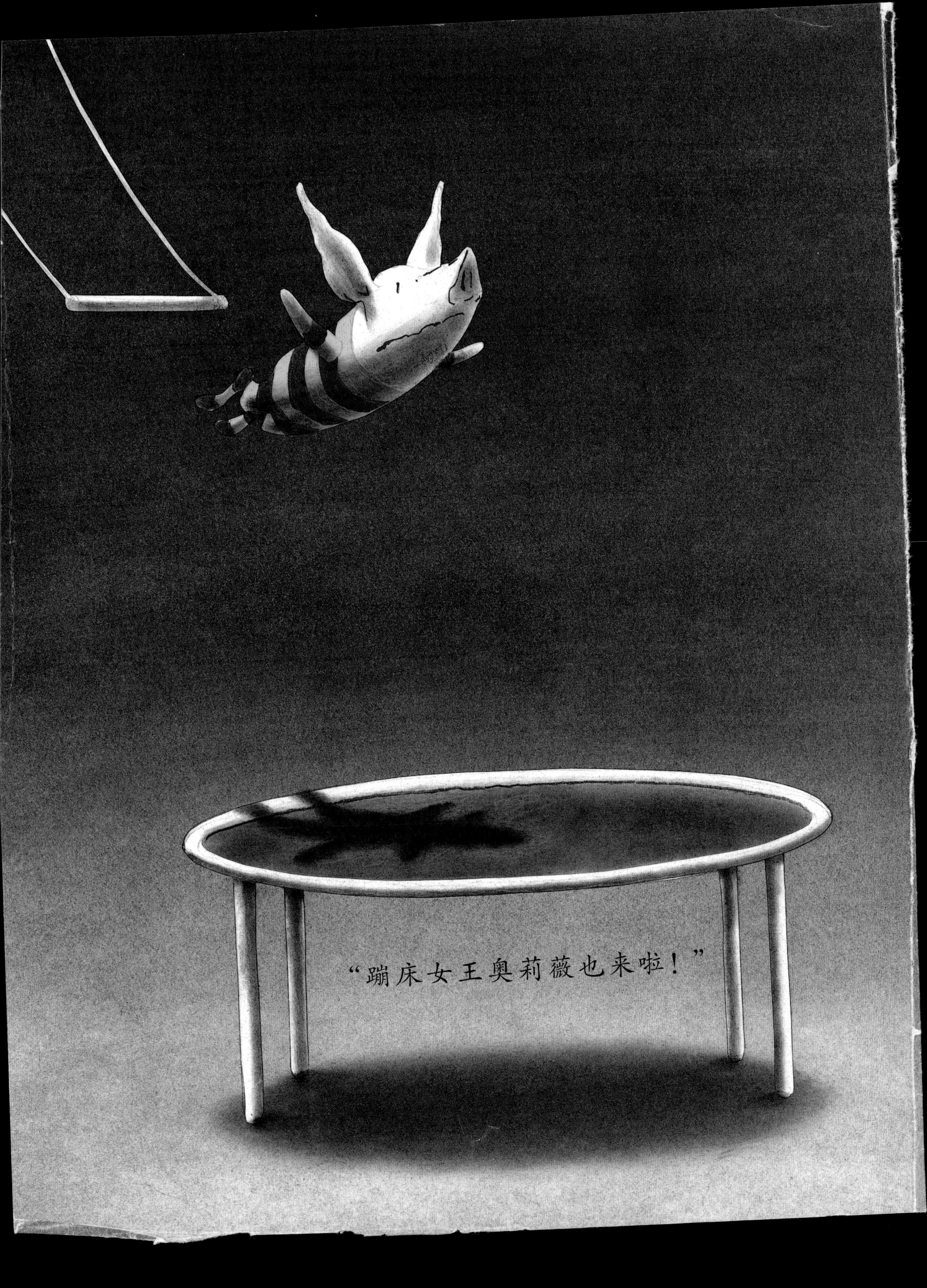
“蹦床女王奥莉薇也来啦！”

“空中飞人奥莉薇来啦！”

“压轴节目是奥莉薇夫人的驯狗表演。那些小狗可真不听话。”

“就这样，我拯救了马戏团！现在，我是大明星了。”

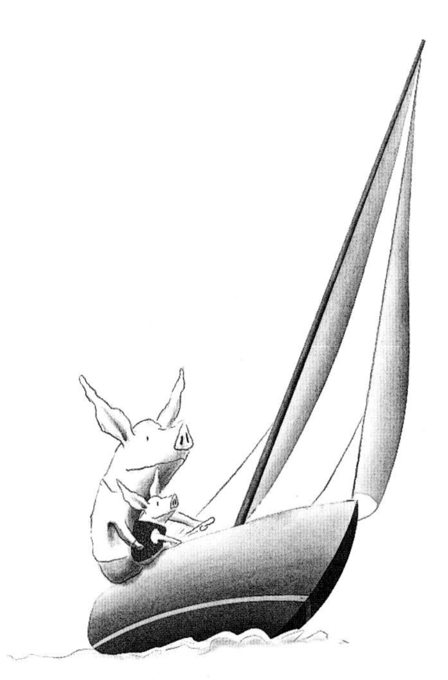

“再后来，爸爸就带我出海远航。我讲完啦。”

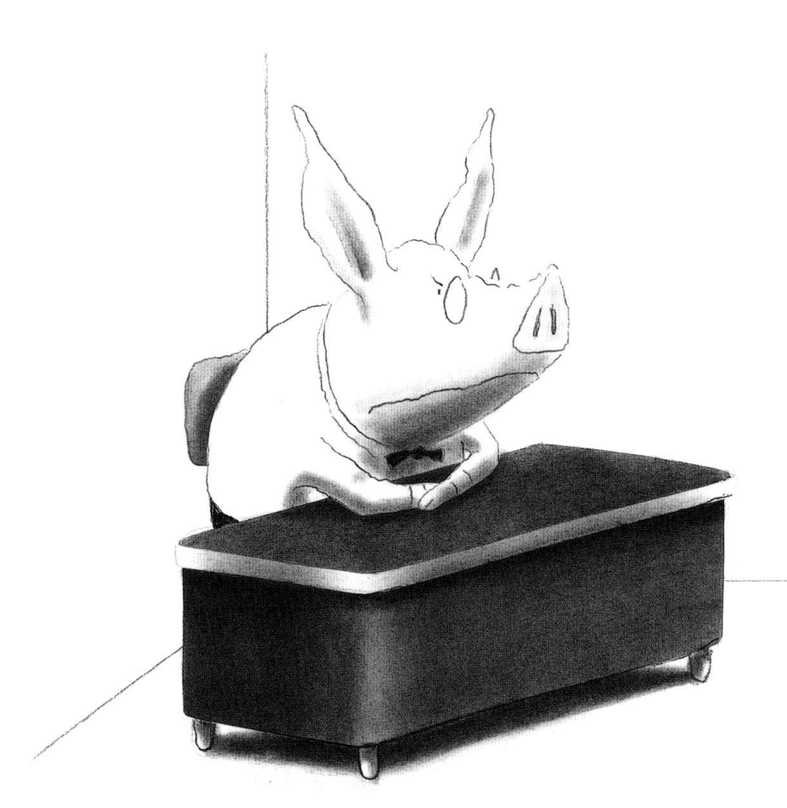

Olivia

奥莉薇的老师问：“你讲的是真的？”

奥莉薇说：“是真的。”

“全都是真的？”

“全都是真的。”

“我记得清清楚楚。”

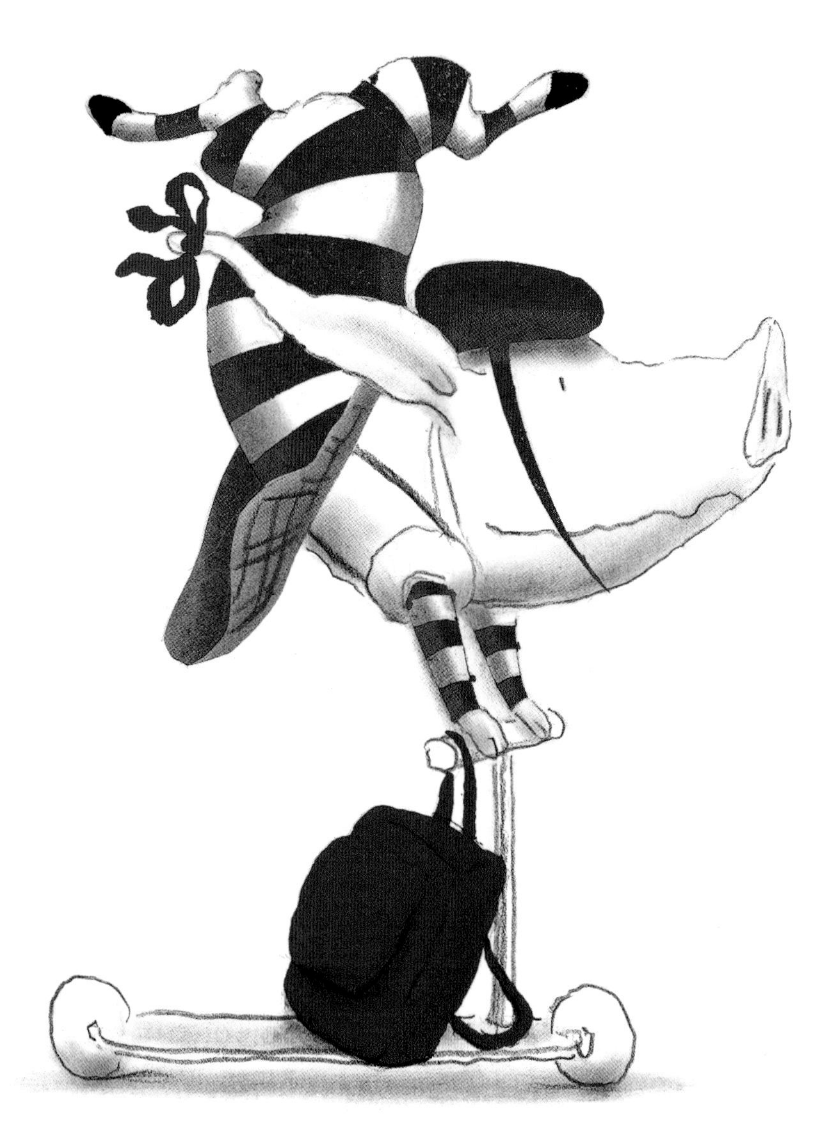

奥莉薇优雅地回家去了。

跟平常一样，奥莉薇的妈妈问："宝贝儿，今天上学好不好啊？"

"还行。"奥莉薇回答。

妈妈问："都干什么了？"

"什么都没干。"

要睡觉了，当然喽，奥莉薇一点儿都不困。

妈妈说：“晚安。”

奥莉薇说：“妈妈晚安。”

“闭上眼睛呀。”

“已经闭上了。”

“那就快睡吧。”

“已经睡着了。”

“记住，不准蹦来蹦去。”

“知道啦，妈妈。”

“**奥莉薇**，我说过了，不准蹦来蹦去！你把自己当成蹦床女王啦？”

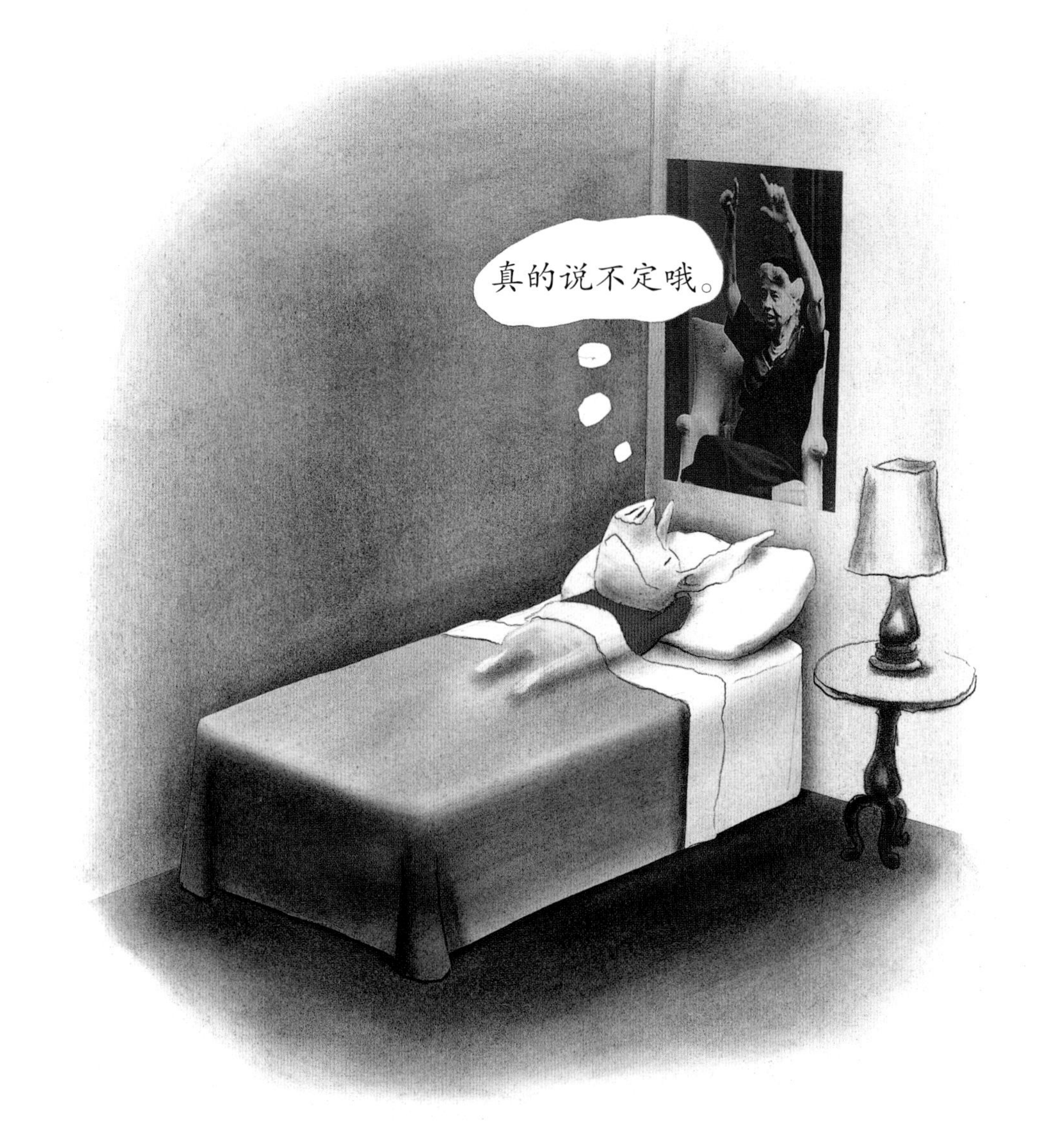
真的说不定哦。

献给我的母亲，不论成功还是遇到困难，她一直鼓励着我。

——伊恩·福尔克纳

图书在版编目（CIP）数据

奥莉薇拯救马戏团 /（美）福尔克纳著；范晓星译.
—石家庄：河北教育出版社，2010.11
（启发精选世界优秀畅销绘本）
书名原文：OLIVIA Saves the Circus
ISBN 978-7-5434-7780-3

Ⅰ.①奥… Ⅱ.①福… ②范… Ⅲ.①图画故事－美国－现代 Ⅳ.①I712.85

中国版本图书馆CIP数据核字（2010）第215397号

冀图登字：03－2010－012

奥莉薇拯救马戏团

编辑顾问：余治莹
译文顾问：王　林
责任编辑：姜　红　马海霞
策划：北京启发世纪图书有限责任公司
　　台湾麦克股份有限公司
出版：河北出版传媒集团公司
　　河北教育出版社　www.hbep.com
　　（石家庄市联盟路705号　050061）

印刷：北京盛通印刷股份有限公司
发行：北京启发世纪图书有限责任公司
　　www.7jia8.com　010-51690768
开本：635×965mm　1/8
印张：4
版次：2010年12月第1版
印次：2010年12月第1次印刷
书号：ISBN 978-7-5434-7780-3
定价：31.80元